#16 DEC 1 2 2018
Kaufman Brentwood Branch Library
11820 San Vicente Blvd.
Los Angeles, CA 90049

S0-BNU-198

#16 DEC 1 2 2018
Kaufman Brentwood Branch Library
11820 San Vicente Blvd.
Los Angeles, CA 90049

16 KAUFMAN BRENTWOOD

DEC 1 0 2018

¡Pero si yo, te quiero!

Texto de Jory John
Ilustraciones de Benji Davies

Andana
editorial

S
xz
J

2386   9017   7

Publicado por primera vez en
inglés por HarperCollins Children's Books,
un sello de HarperCollins Publishers, con el
título *I Love You Already!*

Texto © Jory John 2016
Ilustraciones © Benji Davies 2016
Traducción: Anna Llisterri.
Revisión: Tina Vallès
© de esta edición: Andana Editorial 2017
C. Arbres, 23. Algemesí 46680 (Valencia)
www.andana.net / andana@andana.net

Queda prohibida la reproducción y transmisión total y
parcial de este libro bajo ninguna forma ni por ningún
medio electrónico o mecánico sin el permiso de los titulares
del *copyright* y de la empresa editora. Todos los derechos
reservados.

ISBN: 978-84-16394-73-9
Depósito legal: V-2969-2017
Impreso en Grafo

Este libro está dedicado
a mi gran amigo, Bill Olin.
—Jory John

Para mi amor verdadero, Nina.
—Benji Davies

-Ah, me encantan las mañanas de fin de semana holgazaneando en casa.

-Esta mañana me gustaría salir a pasear. ¿Qué estará haciendo
mi amigo Oso?

-Aaaahh. Perfecto. Tengo todo lo que necesito
para pasar un día agradable yo solo.

–¡Oso! ¡Soy yo, Pato! ¡Tu vecino!
¡Abre la puerta, vamos!

–¿Qué pasa, Pato?
Estoy ocupado.

-¡Pues no lo parece! Vámonos de paseo, amigo. Sin discutir. ¡Date prisa!

-Podemos pasar juntos un buen rato.

-No.

-Te contaré la historia de mi vida.

-No.

-¿Me contarás tú la historia de tu vida?

-No.

-Haremos un poco de ejercicio.

-No.

-Observaremos las nubes.

-No.

-Te contaré la historia de mi vida.

-Eso ya lo has dicho antes.

-Pero así tal vez te caeré mejor...

-Si ya me caes bien, Pato.

-No aceptaré un «no» por respuesta, Oso. Nos lo pasaremos bien, lo quieras o no.

-Uf.

-Mira a tu alrededor, Oso. Un día como hoy, ¿quién querría estar solo?

-yo.

-¡Tonterías!

-¿Te apetece un helado, Oso?

-Bueno...

-Ejem, Oso, tal vez tengas que prestarme algo de dinero.

(Grrr.)

-¿Realmente la mejor mañana
de tu vida?

-No.

-¿Agradable?

-Eso ya lo has dicho antes.

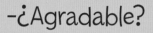

-Yo solo quiero caerte bien, Oso.

-¡SI YA ME CAES BIEN!

-Pero también me gusta estar solo y tranquilo de vez en cuando.

Si me necesitas, estaré relajándome junto a aquel árbol.

—Bueno, esto sí que es agradable.

—¡Pst! ¡Oso!

—¡Pato! ¡Pato! ¿Estás bien?

—¿Y a ti qué te importa?

—¡Pero qué dices, Pato!
¡Eres mi mejor amigo!

—Pues no lo parece.

-Eres como un hermano para mí.

-Sí, ya.

-Tendría que haberte atrapado al vuelo.

-Estoy de acuerdo.

-Ni siquiera te caigo bien, ¿verdad, Oso?

-Qué tontería. Eres prácticamente mi familia. ¡Pero, Pato, si yo te quiero!

-¿De verdad?
¿Lo dices de verdad?
¿De verdad?
¿Es cierto?
¿Eh?

(Ay.) -Sí.

-¡Qué buena noticia, Oso! Ahora
podremos salir a pasear juntos
por la mañana, cada día. ¡Qué
divertido! ¡Qué perfecto!
Sobre todo porque vivimos
el uno al lado del otro.
¡Siempre sé dónde
encontrarte!

-Oh... qué bien.

-Bueno... ¿quieres verme correr
muy muy deprisa, Oso?

-No.

-¿Y hacer malabares con cinco
manzanas?

-No.

-¿Cruzar este lago nadando?

-No.

-¿Comer un bicho?

-**No.**

-¿Aguantar sin respirar?

-**No.**

-¿Correr muy muy deprisa?

-**Eso ya lo has dicho antes.**

-De verdad,
tengo que
dejar de
abrir
la puerta.

-¡Hasta mañana,
Oso! Nos vemos
a primera hora.
Yo también
te quiero, amigo.